U0783894

事实还是假象 FACT OR FAKE

汽车烧甘蔗也能跑起来吗？

[英]安娜贝尔·萨弗里 著　郭澍 译

发明真相大揭秘！

CIS K 湖南科学技术出版社·长沙

图书在版编目（CIP）数据

事实还是假象.汽车烧甘蔗也能跑起来吗？发明真相大揭秘！/
（英）安娜贝尔·萨弗里著；郭澍译.长沙：湖南科学技术出版社，2024.12.
ISBN 978-7-5710-3040-7

Ⅰ.Z228.2

中国国家版本馆 CIP 数据核字第 2024TG6439 号

Fact or Fake: The Truth about Inventions

First published in Great Britain in 2022 by Hodder and Stoughton

Copyright © Hodder and Stoughton Limited, 2022

All Rights Reserved.

著作权合同登记号：18-2024-107

事实还是假象：汽车烧甘蔗也能跑起来吗？发明真相大揭秘！
SHISHI HAISHI JIAXIANG：QICHE SHAO GANZHE YE NENG PAO QILAI MA? FAMING ZHENXIANG DA JIEMI!

著　　者：	[英] 安娜贝尔·萨弗里　　译　　者：郭　澍
出 版 人：	潘晓山　　　　　　　　　　责任编辑：李　叶　谷雨芹　谢俊木子
出版发行：	湖南科学技术出版社
社　　址：	长沙市芙蓉中路一段 416 号泊富国际金融中心
网　　址：	http://www.hnstp.com
印　　刷：	湖南省众鑫印务有限公司（印装质量问题请直接与本厂联系）
厂　　址：	长沙市榔梨街道梨江大道 20 号
邮　　编：	410600
版　　次：	2024 年 12 月第 1 版
印　　次：	2024 年 12 月第 1 次印刷
开　　本：	880 mm×1230 mm　1/32
印　　张：	3
字　　数：	58 千字
书　　号：	ISBN 978-7-5710-3040-7
定　　价：	36.00 元

目 录

2

你能分清
事实和假象吗？

发明抽水马桶的
是一名诗人。
什么?!

汽车可靠燃烧甘蔗
来行驶。
不可能!

美国曾尝试自己
造飞碟。
真的吗?!

发明摩尔斯电码
的人同时还是
一位艺术家。
哇哦!

关于那些令人耳熟能详的科技发明故事，有哪些是人们以讹传讹的谎言？又有哪些是令人大跌眼镜的真相？翻开本书，一起来寻找答案吧——拨开真真假假的迷雾，探索背后的科学真理。这些时而神奇，时而怪诞，但绝对引人入胜的科学发明真相，一定会让你的亲朋好友对你刮目相看！

轮子的发明最初是用于制陶

轮子在我们今天的日常生活中早已司空见惯，因此你可能根本没想到它其实是一项发明。不过，放眼望去，你会发现，没有一个轮子是天然形成的，也就是说，它确实是一项人类发明。

最古老的轮子

目前已知用于交通工具上最古老的木质轮子大约有5100年历史，其发现地在斯洛文尼亚的卢布尔雅那。

展开说说

考古学家发现一个可以追溯至大约5000年前的石制陶轮。它很可能是美索不达米亚（即今天的伊拉克地区）人使用的。科学家还发现了一些来自5500~6000年前的陶罐碎片，他们认为这些陶罐就是在陶轮上制成的。科学家认为，这些陶轮后来被开发了新用途，用于交通运输。

结论

真

爱迪生发明了电灯

我总是那么耀眼夺目!

是真是假?

关于这个问题,向来争论不休。不过,美国发明家托马斯·爱迪生这位世界公认的电灯发明者,其实并没有发明电灯。然而,他的确改进了电灯制造技术,并使照明系统为普罗大众日常所用。

结论......
假

展开说说

尽管在爱迪生的电灯出来之前,就已经有电灯了,可它们制作困难,造价又高,且照明时间不长。1878年左右,爱迪生开始研发一种易于批量生产的灯泡,并取得了成功。不过他可不是孤军奋战:他背后有一整个由发明家和工作人员组成的团队,协助他一起完成了这项事业。

3

香皂最初是用动物脂肪和木灰制成的

就是因为这个我才不爱洗澡!

是真是假?

一块大约4 500年前的古代石板上刻有最早制作香皂的一些方法。这块石板出土的地方古时候是美索不达米亚的吉尔苏城邦,这里曾拥有极其发达的大型纺织工业。

展开说说

木灰被用来清洗羊毛上一种叫"羊毛脂"的天然油脂。人们发现脂肪和灰的混合物可以起到很好的清洁效果,香皂便由此诞生。香皂不仅能洗掉细小的脏污颗粒,还能带走细菌。正因如此,如今香皂被认为是有史以来一项极其重要的发明!

结论
真

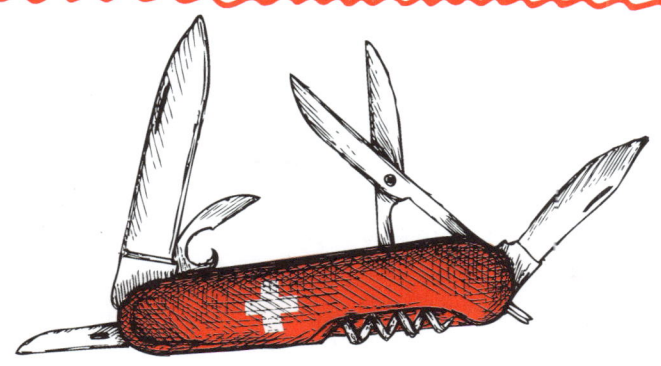

瑞士军刀是在瑞士发明的

1880年，瑞士军队的士兵用的步枪上必须配备螺丝刀。部队给每一名士兵都买了一个很有用的多功能工具，上面有螺丝刀、开罐器和小刀。当时，瑞士没有一家公司有如此大的规模能制造足够的刀具，于是他们从德国购入了这些刀具。

展开说说

接下来的数年里，瑞士刀具制造商卡尔·埃尔森纳成立了自己的公司。此后当部队再次需要军刀时，他就制作出了一款改良版的多功能军刀。直到今天，埃尔森纳当初成立的维氏公司仍然在生产多功能军刀。

致敬母亲！

埃尔森纳的维氏（Victorinox）公司是以其母亲的名字维多利亚（Victoria）以及不锈钢的另一个名字（inox）命名的。

结论
假

5

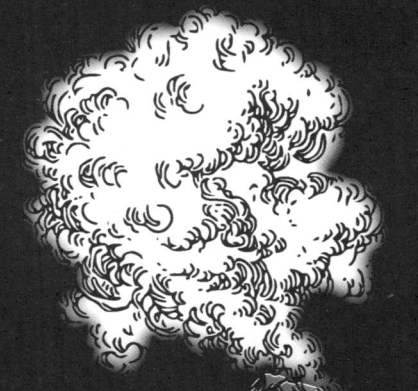

自行车的发明
源于
火山爆发

1815年，印度尼西亚的坦博拉火山爆发，成为现代世界史上数一数二的大灾难。巨大的蘑菇云和大量火山灰从火山口喷涌而出，遮天蔽日，阻断了太阳的光和热，给全世界来年的收成造成了毁灭性打击。

自行车是什么？

卡尔·冯·德莱斯的这款车又称"两轮车"。"自行车"（bicycle）这个词直到20世纪60年代才开始被人们使用。

展开说说

收成不好造成的一个后果就是许多马儿因为没有粮食吃而被饿死。由于缺少马匹，1817年，德国的卡尔·冯·德莱斯男爵发明了一种早期的轮式交通工具，叫作"木轮车"。这种车用木头制成，装有车把，不过没有刹车和脚蹬。它通过人脚蹬地滑步来行驶，类似于今天的儿童滑步平衡车。

结论
真

最初的灭火器里含有火药

这个听起来就很疯狂的神奇装置，其发明者是德裔英国化学家安布罗斯·戈弗雷。1724年，他做出了一个可以灭火的新装置：一个装有火药的锡铁仓，周围用水包裹着。

结论
真

展开说说

需要灭火时，要点燃连接火药仓的引线。火药仓爆炸后，液体会喷出，从而达到灭火的目的。该装置在1729年伦敦失火时发挥了很大的作用。直到19世纪初，运用空气增压喷水的灭火器才被发明出来，并成为现代灭火器的鼻祖。

美国国家航空航天局利用藻类改进了婴儿奶粉

这是真的！美国国家航空航天局的一个主要任务就是训练宇航员进入太空。由于任务周期很长，他们面临的挑战之一就是在漫长的太空旅行中如何保证宇航员的健康。

美国航空航天"发明局"

美国国家航空航天局还有以下发明：

* 耳式体温计
* 防划镜片
* 记忆海绵
* LED灯
* 鞋垫
* 无线工具
* 滤水器
* 烟雾探测器

20世纪80年代，美国国家航空航天局资助了一批研究项目，探索利用微藻类为太空旅行中的宇航员提供营养的方法。他们发现，这些微藻类可以产生一种脂肪酸，和人类母乳中所含的可以促进婴儿发育的脂肪酸非常相似。经过进一步深入研究后，这种物质成为婴幼儿配方奶粉中的一个重要添加成分。

结论
真

9

要想做发明家，必须先成为科学家

1911年，加拿大一家报社老板约瑟夫·科伊尔无意中听到一个酒店老板和一个送鸡蛋的工人之间的争执。原来是因为鸡蛋被放在篮子里，而送到后许多鸡蛋都破了。科伊尔开始想办法解决这个问题。

展开说说

科伊尔用报纸做了一个鸡蛋盒，和我们今天仍然在使用的非常类似。这项发明一炮而红。科伊尔在许多城市开起了鸡蛋盒制造厂，他的发明也火遍全球。

平平无奇的发明天才

还有一些没有科学教育背景的发明家，本书会分别介绍，请见：

结论……
假

10

最厉害的滋水枪是美国国家航空航天局的一名工程师发明的

是真是假？

洛尼·约翰逊从孩提时代起就开始了发明，用除草机的零部件做了一辆小型赛车。19岁时，他因为发明了一台空气动力机器人而赢得了一项比赛。后来他进入美国国家航空航天局工作，并成立了自己的工程公司。

展开说说

约翰逊于1989年发明了"超级水枪"。他发明的水枪受到极大的欢迎，随着时间的推移，其销售额已经超过10亿美元。约翰逊的公司还发明了风靡全球的Nerf玩具枪（其子弹用非发涨海绵材料制成）。如今，他的公司还致力于新能源科技的研发。

结论

真

T恤的发明是因为男人不会缝扣子

是真是假？

大约在1904年以前，多数衬衣都有扣子。根据一个流传甚广的故事，一家衬衣公司发现没几个男的会缝扣子，于是就发明了一种有弹性的套头衬衣。

展开说说

这只是关于T恤流行起来的说法之一。还有一种说法是，工人们在炎热的夏天把工装的袖子剪掉，就成了T恤。虽然众说纷纭，不过大家大都认同的是，美国海军最先大量购入这种新型T恤当作贴身汗衫来穿。从那以后，T恤就开始走进千家万户。

T恤传说

到了1920年，"T恤"一词已经成为日常词语，并出现在美国作家菲茨杰拉德的一本小说中。

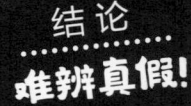

结论

难辨真假！

链锯的发明最初是用来接生的

放轻松，史密斯夫人！

是真是假？

两名苏格兰医生，约翰·艾特肯和詹姆斯·杰弗瑞，发明了一种他们称之为"链锯"的器械，用来给一名难产的产妇接生。1785年，艾特肯在一本助产学杂志里特别介绍了这种器械。

展开说说

链锯在19世纪初成为外科手术的得力工具。这是一种小型的手持设备，使用的时候旋转手柄即可。它在19世纪中叶以前一直被用于医学领域。这种将锯齿形刀具和链条组合的创意推广到伐木行业，于是出现了第一个用来伐木的链锯，后来经过改良成为电动链锯，并被广泛应用于林业。

结论

真

巧克力曲奇饼干的发明历经了许多年的精心试验

1930年，美国人露丝·韦克菲尔德在马萨诸塞州经营着一家收费站旅馆。这天，她正在做巧克力饼干，却发现平时烘焙用的巧克力用完了。她手头恰好有一块不太甜的巧克力，于是便将这块巧克力碾碎，加在面粉里。

展开说说

韦克菲尔德本来以为巧克力和进面里会融化，把面团变成巧克力味儿的。结果事与愿违：这样做出来的饼干上的巧克力是呈颗粒状的。后来这种曲奇饼迅速爆火！她在当地报纸上发表了制作这种曲奇的食谱后，当地的巧克力销量也随之增长。后来她把配方给了雀巢公司，换取的回报是，一辈子都不用愁没有巧克力了！

结论
假

世界上第一台微波炉有两米高!

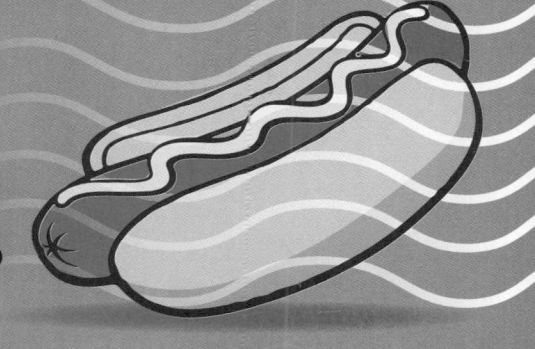

是真是假?

第二次世界大战（1939~1945年）期间，珀西·斯宾塞和同事们正在研究一种叫"磁控管"的机器，这是一款利用微波来工作的雷达系统设备，用于侦察敌舰和敌机。一天，斯宾塞靠近磁控管时，发现自己衣服口袋里装着的巧克力居然融化了……

展开说说

继这个巧克力融化的发现后，斯宾塞用其他食物在磁控管里做起了实验。1947年，他和同事们发明了一款炉子，可以安全地将食物做熟。利用这一新科技，他们制作出了一批巨大的商用微波炉。其中一款是一个将近2米高的热狗烤炉，叫"快烤维尼"！

缓慢的进步

直到1967年，微波炉才开始走进千家万户，成为老百姓的日常生活用品。这距离它最初被发明已经过去了20年。

结论

真

平底纸袋
的发明者
是
查尔斯·阿南

是真是假？

大约在1870年，美国人查尔斯·阿南在美国马萨诸塞州获得了平底纸袋的发明专利。然而，他迅速受到该发明的实际发明者玛丽·奈特的质疑。没错，他偷了她的创意！

剽窃他人创意的小偷

大富翁游戏、缝纫机、电视机、激光、收音机，这些发明的创意都曾遭到完全或部分剽窃。

展开说说

玛丽·奈特出生于美国缅因州。她在12岁时就完成了人生的第一项发明——让工厂的机器更加安全。后来，在进入马萨诸塞州的一家纸袋制造厂工作后，奈特发现平底的纸袋更结实，于是便开始发明一款机器来制造它们。阴险狡诈的查尔斯·阿南窃取了她的设计，不过她奋起反击，最后终于捍卫了自己的正当权益，证实了平底纸袋其实是她的发明！

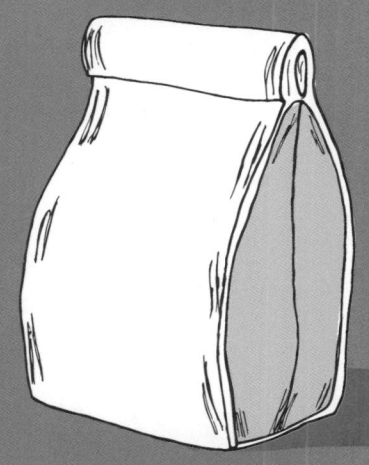

结论

假

世界上有七个人可以关掉互联网

关于有人能按下一个按钮就把互联网关掉这件事，流传着许多传说。实际情况其实并非如此。一些国家可以在全国范围内建起网络防火墙，其他组织可以安装安全程序。

结论

假

展开说说

确实有一个组织可以在某种程度上控制互联网，这个组织就是互联网名称与数字地址分配机构（英文缩称为"ICANN"）。这家机构负责管理互联网上的域名（即网络地址）并保障其安全。一旦发现有安全问题，掌管密钥的人会在一个极其安全的地方重新设置系统。

18

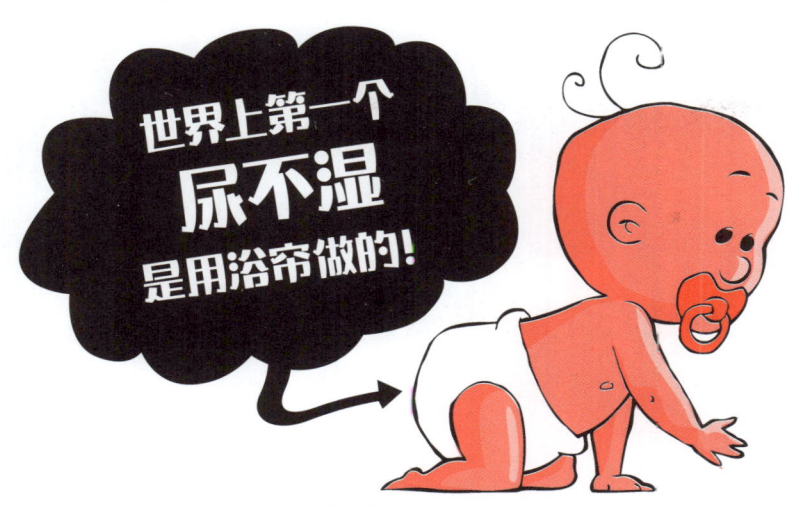

世界上第一个**尿不湿**是用浴帘做的！

是真是假？

尿不湿被发明出来之前，人们用方巾来接住婴儿的便便。可是有个问题：方巾会渗漏。虽然人们会给婴儿在最外面再套一条橡胶裤，但也不太管用，于是一个叫玛丽昂·多诺万的母亲想出一个好主意。

🔙归本源

时至今日，一次性尿不湿引发的浪费问题较为严重，所以许多人又回归了传统的"船夫"式尿布。

展开说说

玛丽昂·多诺万于1917年出生在美国印第安纳州。她从小就是在一堆机器和发明里长大的。由于饱受给宝宝换尿布的困扰，她剪下一块浴帘，制作了一款防水尿布。可是，没有一家公司看中她的这一创意，于是她自己动手开始生产，并给这款尿布命名为"船夫"。再后来，她发明出了一次性尿不湿。

结论

真

冰棒是一个11岁的男孩偶然发明的

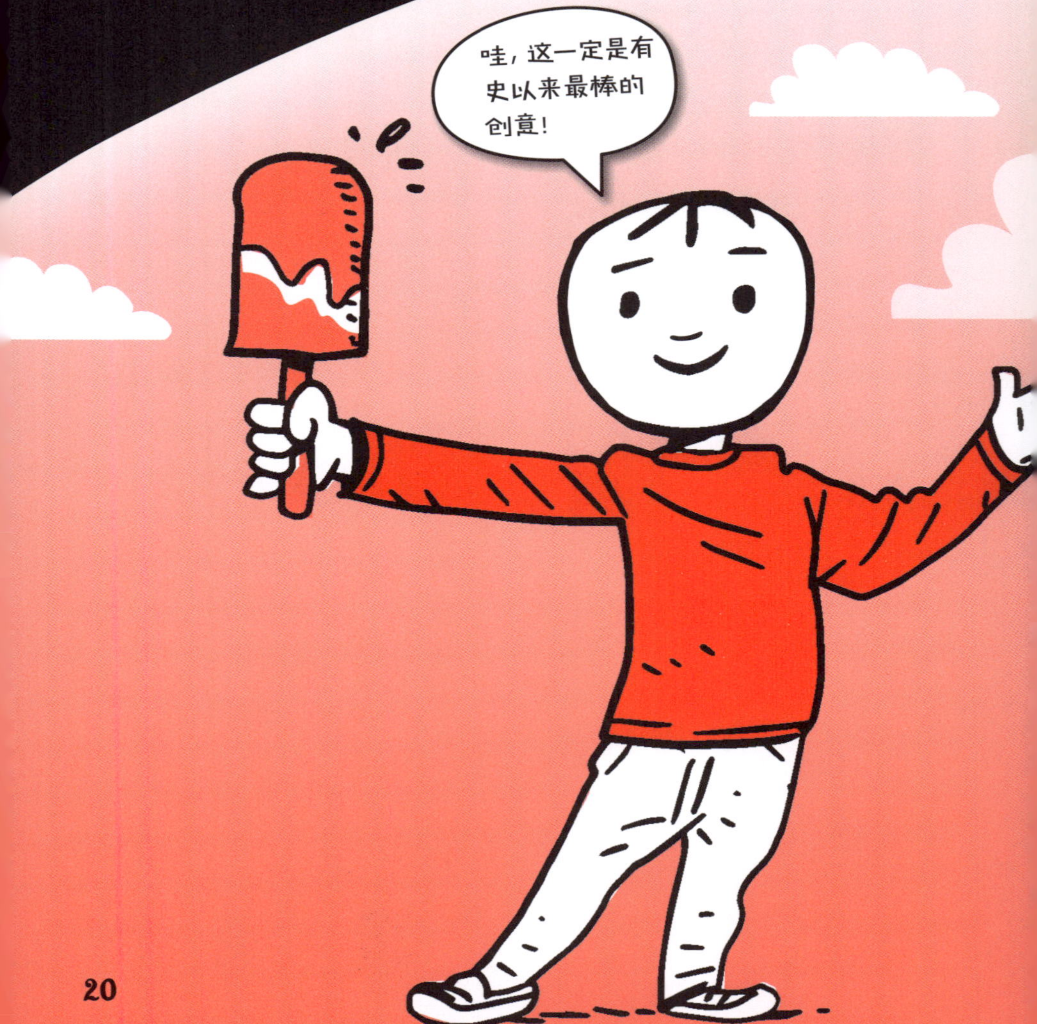

是真是假？

1905年，在天寒地冻的美国旧金山，11岁的弗兰克·艾伯森把他的饮料忘在屋子外面了，饮料就这样过了一晚。他还不知道，自己将会发明出在夏天最受欢迎的冷饮之一！

改名换姓

艾伯森起初管他的冰棍叫"冰锥"，不过他的孩子们则管它叫"冰冰棒"（或"爸爸冰棒"），并说服他给冰棍改了名字。

弗兰克的饮料是在水里加了起泡粉，又用一根小木棍搅拌均匀制成的。当他第二天早上将饮料拿回来时，它已经冻上了。他一拽小木棍，"饮料"也跟着出来了，就这样，第一根冰棒诞生了！后来，在1925年，弗兰克和纽约一家食品厂合作，冰棒因此火遍全美国。

结论
真

气泡膜包装的设计初衷是做墙纸

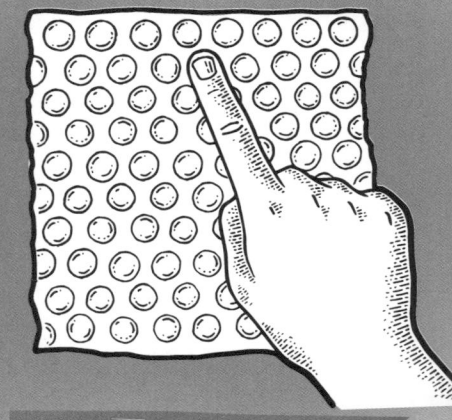

气泡膜是在1957年由机械工程师阿尔弗雷德·菲尔丁和化学工程师马克·沙瓦尼发明的。在美国新泽西州的一间小小的车库里，他们将一块浴帘放进热压机，本来是想做一张表面有纹理的隔音墙纸，结果出来的却是一块上面有气泡的塑料膜。

展开说说

墙纸是肯定做不成了，不过这对搭档给这块塑料膜另找了一个用途：做物品的保护性包装。幸运的是，1960年，电脑公司IBM决定将这种泡沫塑料用于包装并安全运输该公司刚发布的一款新设备。自此以后，这个发明就被推广流传开来。

结论 真

噼啪！

今天人们普遍认为捏气泡是一项很解压的活动，就连科学家都证实了它的确有效。一项报告称，捏5分钟的气泡，其功效相当于接受了半小时的按摩！

最早的指南针看起来像个长柄勺

喂，别乱动！那是我的指南针！

是真是假？

世界上最早的指南针是中国人发明的。它就像一个长柄勺子，勺柄就是指针，勺子通过旋转来指明方向！

展开说说

中国古代人在11世纪时又对指南针加以改进，打造出一款可以用于航海的指南针。它能帮助船队辨别方向，让他们的海上航行变得更便捷。指南针的发明促进了航海的发展，并随着东西方的贸易往来而被传遍世界。

结论
真

23

发明
抽水马桶的
是一名
诗人

24

是真是假?

约翰·哈灵顿爵士是英国伊丽莎白一世女王的教子。1590年左右，他因创作了一首针砭时弊的诗作而被禁止入宫。远离宫廷期间，他完成了两项创举：翻译了意大利诗人阿里奥斯托的一部作品，以及发明了抽水马桶。

展开说说

哈灵顿的抽水马桶是用一个置于高处的容器来盛。这个容器也就是水箱，通过一根管道与马桶相连接来冲水。尽管这项天才的发明被安装在伊丽莎白一世位于里士满的王宫，但其后它仍然遭到长达近200年的冷落。

如厕的历史

★ 新石器时代的厕所——公元前3000年

★ 克诺索斯宫的古希腊厕所——公元前1700年

★ 罗马公共厕所——315年

★ 约翰·哈灵顿爵士的冲水马桶——1592年

★ 英国管道工托马斯·克拉珀的马桶——1861年

★ 伦敦下水道工程——1865年

★ 节水马桶——1992年

★ 真空抽水马桶和堆肥厕所——2021年

关于厕纸的知识，请见第48页。

结论

真

英特网和万维网是一回事

是真是假？

"英特网"和"万维网"这两个词在很多情况下用法是一样的，通常都用来表示任何与网络相关或用到网络科技的事物。但其实这是两码事……

展开说说

英特网又被称为"互联网"，严格来讲是指彼此串连并能相互传输数据的计算机网络。万维网则是一系列程序和规则，使我们能够从互联网上轻松获取信息。

请随意取用！

1989年，英国计算机巨匠蒂姆·伯纳斯－李发明了万维网。他和他的团队没有对这项技术保密，而是将他们的研究成果公之于众，使其能惠及每一个人，让大家都能通过网络来增长见识、获取新知、发挥创造。他真正让互联网走进了千家万户。

结论

假

全球定位系统（GPS）是一项面向全世界的服务，且不属于任何人

全球定位系统利用卫星科技来定位地球上任何一个角落的电子终端，正是因为有了它，我们才能使用电子地图。

结论
假

展开说说

全球定位系统由美国研发，美国政府所有，美国纳税人为其提供经济支持——不过它是对全世界所有人免费开放的[1]。自20世纪90年代发明以来，全球定位系统变得越来越精准，技术设备也越来越小。如今的定位终端极其微小，不论是动物追踪项圈，还是智能手表，几乎任何物品里都可以被植入定位终端。

---

1 美国对配置全球定位系统的设备厂商进行收费。——编者注

27

早期的罐头
必须用锤子和凿子开启

是真是假？

用罐头储存食品是19世纪的一大科学创举。然而，发明者对制作罐头和罐头里面装什么关注得很多，而对如何打开它并吃到里面的东西考虑不足。于是，人们必须用锤子加凿子或小刀加石头来打开罐头。直到后来开罐器被发明出来，这一问题才得以解决。

展开说说

尽管开罐器在1860年就发明出来了，可直到1925年，它才成为走进千家万户的日用品。人们一直依靠开罐器来开启罐头，直到1963年，易拉罐的拉环才在美国被发明出来。最初的拉环是独立于罐头存在的，许多人提出由此而产生的垃圾问题。后来，和罐头一体的易拉罐被发明了出来，直到今天仍然被广泛使用。

结论

真

世界上第一条互联网消息让电脑系统崩溃了

是真是假？

互联网的发明初衷是作为一种可以代替电话的通信系统，因为电话通信系统可能会被敌人切断。于是，美国国防高级研究计划局的聪明科学家们研发出了一种网络，可以在电脑之间传送消息。

网络全覆盖

据记载，2019年全世界有39.7亿互联网用户——已经超过全球人口数的一半。

展开说说

1969年，研究者尝试在分别处于美国加利福尼亚州的两所不同大学的两台电脑之间发送消息。发送的消息是"LOGIN"[1]，结果接收消息的那台电脑只接收完前两个字母就死机了。不过，研究者们排除了故障，实验继续进行。世界上第一封电子邮件是在1971年成功发送的！

---

1 中文意思为"登录"。

结论

真

蓝牙是以一名丹麦海盗的名字命名的

蓝牙是在1996~1997年间，由英特尔、爱立信和诺基亚三大电信公司的工程师发明的，项目由工程师吉姆·卡达奇牵头。蓝牙是一种无线电波网络技术，可以在短距离内将不同设备连接起来。而哈罗德·布拉唐德是10世纪丹麦的第一位国王。那么，这两者之间有什么关联呢？

展开说说

哈罗德一世国王最广为人知的政绩就是统一了丹麦和挪威，而蓝牙这项新技术的工作原理是通过计算机和其他设备将多台移动电话连接起来。哈罗德一世的姓翻译成英文的意思就是"蓝牙"。于是研发团队将这项新技术暂时命名为"蓝牙"，结果这个名字一直沿用至今！

炫酷的字母！

代表蓝牙的标识是根据维京字母或北欧古文字卢恩字母里表示H和B（哈罗德一世的名字首字母）的字母创造出来的，如下图所示。

结论

假

垂直农业技术是未来能让所有人吃饱饭的手段之一

随着全球人口增长，工程师、科学家和农民必须齐心协力想办法，研究如何才能让这么多人填饱肚子。高耸入云的垂直农场可能成为一个解决之道吗？

展开说说

垂直农业技术仍处于研发阶段。所谓垂直农业，就是有别于传统的在室外田里耕种，选择在室内分层的架子上来种植植物，同时悉心控制室内的各项环境条件。垂直农业的好处是占用的土地资源和水资源相对较少，不过这样种植的农作物仍然需要摄取能量。此外，也有一些人担心这样会放任户外的虫子和杂草疯长，对自然环境不利。

结论

真

我真的够不着上面那些西红柿！

31

剪刀是一种现代工具

剪刀锋利无比，闪闪发亮，发明剪刀的人真是太聪明了！剪刀这么好用，你一定觉得它是面世不久的现代发明吧！要是这么想的话，那就错了。这个简简单单的工具，早在几千年前就已经被发明出来了，不过具体是什么时候已无人知晓。

展开说说

一些人认为剪刀的起源是在古埃及，还有一些人则认为是在公元前1500年的古代叙利亚。公元100年前后，古罗马人就在使用剪刀，关于剪刀最早的记载是在大约公元600年。自1761年起，剪刀得到极大改进。今天，我们可以买到各式各样不同种类的剪刀——从左手专用剪刀，到用脚使用的剪刀！

咔嚓咔嚓！

中国刀剪品牌"张小泉"从1628年就开始生产剪刀了！

结论
假

32

世界上首个听诊器是一个纸筒

展开说说

有一次，雷奈克医生不得不给一名年轻的女心脏病患者听诊，他急中生智，想出一个办法，这个发明后来成为医学史上一个至关重要的科技进步。他将一张纸卷成筒状，把纸筒的一端贴在患者胸前，这样既保持了社交距离，又能清晰地听到患者的心跳。随后，他以同样的方法用木头还原了这一发明，并给它取名为"听诊器"。

是真是假？

1816年以前，医生听诊病人胸部的唯一办法是把耳朵贴在患者的胸口。不过法国医生雷内·雷奈克可受不了这样的近距离接触，他更喜欢保持一些距离。

结论

真

33

大型强子对撞机能引发黑洞

啊，不好意思，要让你们失望了！

是真是假？

2008年9月10日，全世界的人都屏住呼吸，见证着一台大型科学实验设备启动。有传言称，它会制造出一个巨大的黑洞，力量大到足以把它周围的一切全都吸进去……最终会把地球也吸进去！

展开说说

虽然有这样的传言，可我们今天依然毫发无损地待在地球上，大型强子对撞机也好好的。这个周长27千米的环形设备建在瑞士日内瓦附近，其设计初衷是加快粒子速度，促成粒子碰撞。粒子碰撞可能会引发微型黑洞，不过这样的黑洞也很快就会消失。

结论
假

深入地底

其实，大型强子对撞机被埋在地下100米深的地方！

爵士乐手曾用马桶搋子来改善乐器的音色

嘿，伙计，我的马桶搋子在哪里？

是真是假？

爵士乐手可以用一种叫"弱音器"的东西来改变小号和长号等乐器发出的声音。今天的乐器制作师可以做出特制的弱音器，不过当初的乐手们却要把马桶搋子的手柄拔掉，把胶皮部分当作弱音器来用。

展开说说

吹奏小号和长号等铜制乐器时，弱音器要放在乐器喇叭形开口那一端，这样声音会变得低沉。有一名乐手甚至吹出了像人声一样的声音。最早使用皮搋子弱音器的先驱，是20世纪20年代美国一位叫约翰尼·邓恩的爵士乐手。

结论……… 真

35

亚历山大·贝尔发明了电话

是真是假?

1876年3月，亚历山大·贝尔被授予电话发明的专利。可是，电话真的是他发明的吗？还是说他只是胜在往专利局跑得更快？

展开说说

当时，最快的通信方式是发电报，电报是通过电报线路来传递书面信息的。贝尔先是做实验尝试远距离传递声音，后来尝试传递一段话。他和艾利亚斯·格雷同一天申请了专利——两人都分别在研究电话通信技术。贝尔接下来对电话的改进似乎借鉴了格雷的理念，这不免令人们怀疑，他是不是干涉了专利局的判断……

结论
半真半假

发明了赫赫有名的芬达吉他的人不会弹吉他

嘣！

手忙脚乱

下去吧！

是真是假？

里奥·芬达本来是会计出身，却对电子产品十分着迷。当他丢了会计的工作后，便在加利福尼亚州的富勒顿市开了一家小小的无线电修理铺。一件在音乐史上至关重要的乐器即将在此诞生。

音乐课

里奥曾试图学习弹钢琴和吹萨克斯管，但从来没学过弹吉他！

展开说说

1947年，里奥组建了一个团队，创办了芬达电子乐器公司。除了无线电维修，他们的业务范围还包括扬声器和吉他零部件制作，后来又开始制造乐器。他们最著名的两款电吉他——Tele型和Strat型，是世界上最早的实心电吉他。

结论

真

37

生物可降解塑料
很容易做成肥料

是真是假？

我们都知道，大量使用塑料制品会产生极大危害，所以研究人员一直在努力寻找塑料的替代物。生物可降解塑料是其中的一个选择，它是用天然原料制成，比如玉米、小麦、土豆及许多其他植物中都能提取到的纤维素。

塑料奇想

世界上第一款人造塑料就是生物塑料。"帕克辛"，如今又叫作"赛璐珞"，是由亚历山大·帕克斯于1855年发明的。赛璐珞的原料，纤维素和樟脑，都是植物制品。

展开说说

生物可降解塑料的分解比其他塑料容易得多，它们通常需要特殊的工业堆肥环境，还需要将其从所有的塑料中挑出来。这是很难做到的，因为我们使用和丢弃的塑料制品量太大了。因此，虽然使用生物可降解塑料是在正确的道路上迈出了一步，但是仍然有许多问题有待解决。

结论
假

茶包本来不是直接泡水里的

1908年的美国纽约，有一名叫托马斯·沙利文的茶商。他把茶分成一小份一小份的，装在纱布做的小袋子里，送给他的客户。他原本的设想是，大家喝茶时，把茶叶从小包里倒出来，再倒进茶壶里，可没想到，他们直接连同小茶包一起把茶泡进了水里！

展开说说

收到很多客户的赞美后，沙利文开始制作更多的茶包。他用一种较细的叫"网纱"的纤维来做茶包。这种茶包迅速走红，沙利文开始商业化的批量生产，并制作了两种茶包尺寸：一种大的，可以放在茶壶里冲泡；一种小的，可以直接放在茶杯里。

结论

真

会飞的汽车只在银幕上才有

我都不想说你，吉姆，这根本就不是飞车！

是真是假？

2021年6月，一家叫"空中飞人"的公司在澳大利亚南部的沙漠里试飞了一辆无人驾驶的飞行汽车。这是为了迎接将于2021年举办的无人驾驶飞车比赛和2022年的有人驾驶飞车比赛所做的赛前试飞……

飞行汽车文学

1968年的音乐电影《飞天万能车》中，主人公发明了一辆会飞的汽车。该电影的编剧是儿童文学作家罗尔德·达尔，他根据"詹姆斯·邦德"系列的作者伊安·弗莱明的一本书创作了这个剧本——这两位作家都是飞行汽车这项狂野发明的爱好者！

展开说说

飞行汽车不仅仅只是影视道具，而是已经有了实物。飞行汽车，或者称之为"电动垂直起降飞行器"，顾名思义，它可以垂直飞起、垂直降落。随着飞行汽车比赛的飞速发展，还出现了既可民用也可军用的车型，甚至还有垂直起降空中大巴呢！

结论
假

40

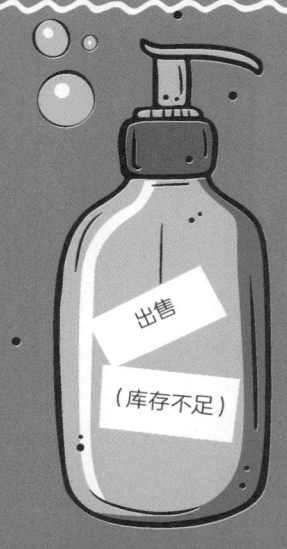

发明了液体肥皂的人买下了所有泵式瓶子好让别人无法借鉴他的创意

是真是假？

罗伯特·R.泰勒在美国明尼苏达州的一家个人洗护用品公司工作。他实在厌倦了每天做出一块又一块放在水槽边的香皂，于是，1980年前后，他开始研究一种可以装在瓶子里并用泵挤出来的液体皂。

展开说说

泰勒十分确信自己的创意一定会非常抢手，他担心那些大公司会剽窃他的创意。于是，泰勒下单购买了数百万个泵式瓶子。他的订单数量太庞大了，以至于泵式瓶子的生产商根本无暇顾及其他公司的订单。利用这样抢出来的时间，泰勒成功创立了自己的洗手液品牌，并在竞争者出现之前及时抢占了市场。

结论

真

美国国家航空航天局斥资数百万发明了一款可以在太空中使用的钢笔，然而苏联人上太空仍然带着铅笔

是真是假？

20世纪60年代，航天事业发展得如火如荼，因为美国和苏联争先恐后，都想成为第一个进入太空的国家。美国国家航空航天局的科学家们发明了一款可以在太空的失重状态下使用的钢笔，而苏联宇航员进入太空时仍然带着铅笔……

结论

假

展开说说

……然而，事实并非如此。苏联和美国宇航员都是带着铅笔进入太空的，只不过，美国国家航空航天局带的是他们买的自动铅笔，每支花费了128美元！在太空中使用铅笔其实不太合适，因为断掉的碎笔芯会四处飘浮，可能会对宇航员及航天设备造成危害。后来，费舍制笔公司发明了一款可以在失重状态下使用的圆珠笔——美苏两国都以2.39美元每支的价格购买了这款圆珠笔。

互联网电商巨头亚马逊最开始叫"卡达布拉"

展开说说

贝索斯给他的律师打电话，告诉他公司名为"卡达布拉"。结果律师听岔了，以为他说的是"卡达弗拉"（cadaver），而这个词是"尸体"的意思。于是贝索斯只好重新开始构思名字。他抱着字典挨个词条找，终于定位到了"亚马逊"一词。他喜欢这个名字，因为世界第一大河就叫这个名字。这次名字终于被确定下来。

是真是假？

1994年，杰夫·贝索斯创立了自己的互联网公司，并试着给公司起了几个名字。其中他最喜欢"永不言弃"（Relentless），还有"卡达布拉"（Cadabra）这个原本用来驱邪的魔法咒语。

绝妙的名字

贝索斯真是太喜欢"永不言弃"这个名字了，所以他买下了这个名字的域名。直到今天，只要我们访问"Relentless.com"这个网址，它都会自动跳转到亚马逊的官方网站。

结论

真

雨刮器刚发明出来时 无人问津

1902年冬天，玛丽·安德森乘车前往纽约。玛丽乘坐的有轨电车在漫天纷飞的大雪中穿行，她目睹了司机不得不随时停车，好扫掉挡风玻璃上的雪。

展开说说

玛丽回到家，设计了一款可以在车里操作的雨刷。她成功为这款雨刷申请了专利，可是没有一家公司想批量生产这种雨刷，人们甚至认为它毫无用处！这很有可能是因为当时开车的人并不多。直到1922年，凯迪拉克才在其生产的汽车上装了这款雨刮器，此后，其他汽车生产商才纷纷开始效仿。

结论
真

44

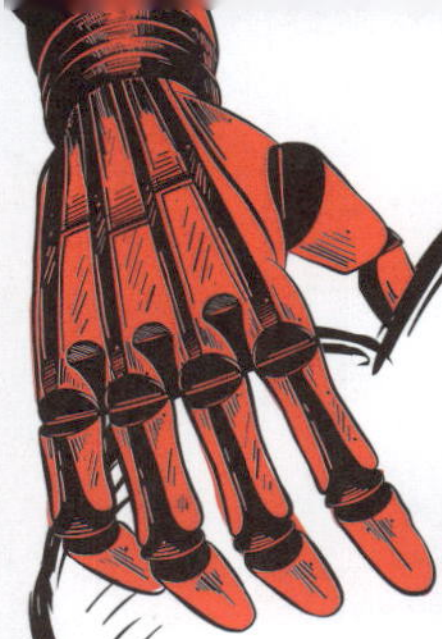

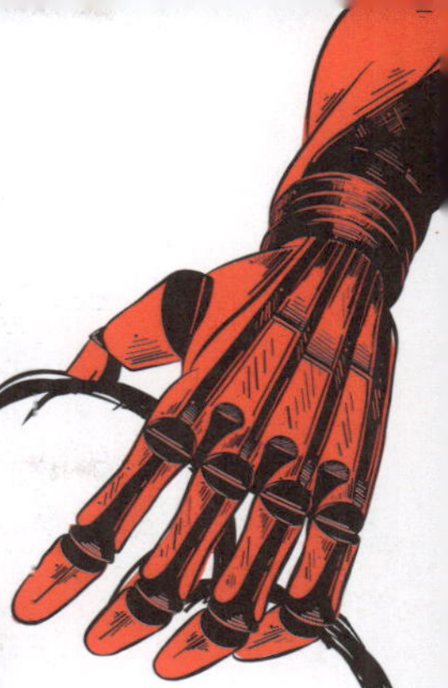

假肢可以受思想控制

是真是假?

研究人员正在研发一款可以受大脑控制的假肢，它通过将程序植入人体来读取大脑指令，并将其传递给机械手臂或机械手。

古老的脚趾

自古埃及和古罗马时代，人们就已经有了使用假肢的先例。考古学家在一名古埃及人身上发现了两个古老脚趾，它们距今已有2600多年的历史!

展开说说

这项研究可以帮助那些因病或因伤而失去四肢的人。植入体内的程序还能让人感知到触觉，比如挤压一个球的感觉。这项研究还在试验阶段，其研究团队的目的是让这项技术帮助利用它的人实现双手协调运动并完成日常动作。

结论

真

发明任天堂"游戏小子"掌上游戏机的是一名电工

是真是假？

横井军平第一项引起轰动的发明是一款可伸缩机械手。他在日本任天堂公司工作时发明了这只机械手，并且在向工友展示时被公司老板抓了个正着。横井军平决定把这项发明改进为一个玩具，并取名为"超级怪手"。

游戏时间到

任天堂公司成立之初是一家生产花札的企业——花札是一种日本纸牌游戏。横井军平的发明让任天堂公司成功跻身玩具市场，进而打入电子游戏市场。

展开说说

横井军平1965年入职任天堂，开始时是一名电工，在一条流水线上工作。"超级怪手"获得巨大成功后，横井军平开始为任天堂发明更多的电子玩具和电子游戏。他最成功的一项发明就是"游戏小子"掌上游戏机，其销量达到1.2亿套。

结论

真

气球是阿兹特克人的发明!

是真是假?

阿兹特克文明存在于1300~1500年的墨西哥中部。阿兹特克人崇敬天神,并给神献祭。其中的一些祭品就是动物气球!

展开说说

不幸的是,他们用的动物是真正的动物:这些动物尸体被洗干净,充气后再缝上。充气后的动物在神庙里看起来就像还活着一样。历史上,人们为充气的动物肠子或膀胱找到了各种各样的用途,尤其是在体育和科学领域。1824年,英国科学家迈克尔·法拉第发明了第一个橡胶气球。这一发明后来经过改进,成了我们今天所熟知的气球!

结论
假

厕纸没发明以前，人们用玉米棒或陶土片当厕纸

哎哟，有点痛！

上完厕所要擦干净，这不是什么新鲜事。从古至今，人们用过的"厕纸"包括陶土片、木头片、包海绵或布的木棍、玉米棒、破抹布等。

展开说说

早在14世纪，中国就已经有了厕纸，不过当时厕纸还是皇家专用。1857年，美国发明家约瑟夫·盖耶特发明的"具有药用功效的厕纸"问世。这是世界上第一款成包的湿厕纸，售价为50美分500张。后来，在1879年，市场上才出现了卫生卷纸。

无"屑"可击

1930年，一家叫北方卫生纸业公司的卫生纸生产商首次推出"无纸屑卫生纸"的营销概念！

结论

真

48

转椅的发明是为了便于同时监控多个屏幕

好晕!

是真是假?

多屏幕工作在现代办公室里非常普遍,而转椅可以方便我们随意转向任何方向。不过,转椅的发明比现代办公场景出现得早得多,而且它是由一位日理万机的总统发明家发明的。

展开说说

1775年,美国总统托马斯·杰弗逊受命起草《独立宣言》。他觉得自己老坐在椅子里,身体缺乏运动,于是在椅子和底座之间装了一根铁轴,这样椅子就可以转动,他也可以跟着转了!

总统发明家

托马斯·杰弗逊发明了许多有用的东西。他将通心粉和奶酪引进到美国,创造了可以同时写出两份相同文稿的复写机、最早的手提电脑雏形,还有旋转书架!

结论

假

49

发明交通灯和防毒面罩的是同一个人

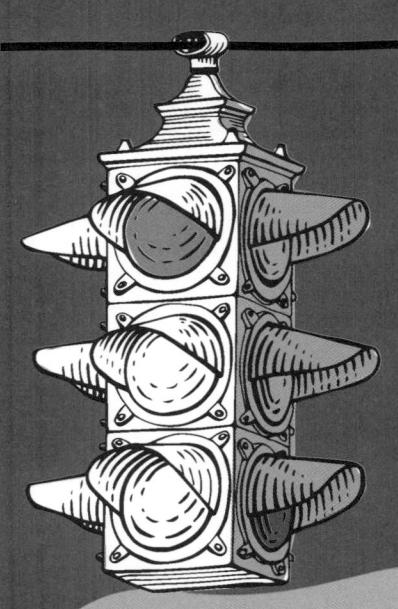

是真是假？

1923年，加瑞特·摩根在美国克利夫兰目睹了一场交通事故。他觉得让交通更安全是自己的使命。摩根发明了一组由3个灯组成的交通信号灯："停""行""所有方向都停"（以使行人安全通过）。

展开说说

摩根的一生是天才发明家的一生。他发明了一款防毒面罩，或者叫"安全面罩"，对消防员和矿工的工作大有裨益。他发明的防毒面罩经过改进后被美军在第一次世界大战（1914~1918年）中使用。

结论

真

世界上第一台计算机有两个足球场那么大！

19世纪初，科技飞速发展，计算机的发明成为可能。英国发明家查尔斯·巴贝奇想制造一台可以实现精确计算的机器，用于航海和天文学领域。

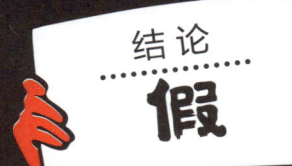

结论

假

展开说说

巴贝奇设计了一款叫"差分机"的机器，即第一台计算机。他因计算机的研发获得了首批政府资助，但却一直都没能按自己的设计造出这台机器。不过，2002年，伦敦博物馆的工程师们成功造出了这台机器，它的体积有一间小卧室那么大。

中国人4000年前就会做面条了

是真是假？

面条是世界上最流行的美食之一。你可能以为它是一项现代发明，由机器制作，被包装成一小包一小包的。如果这样想的话，那就错了……

这些面条吃起来有点古老……

展开说说

2005年，在中国的西北部，考古学家从地下3米深的地方发掘出一个碗。这个碗可不是几个月前有谁拿出来忘在外面的，它是一件文物。这只碗被封存在地下，碗里还保留着长长的面条，考古学家认为这是4000年前用一种叫"黍"的谷物制成的。

发明的摇篮

除了面条，纸、丝、风筝、纸币、爆竹、雨伞、指南针和瓷器都是中国发明的。

结论

真

平板电脑的发明为飞机节省了油耗

平板电脑没发明时，所有航线的飞行员都必须在飞机上带着操作手册。他们需要带着大量的纸质文件：飞机起飞和降落手册，高空和机场的各类地图和图表，飞行器上的重量分配信息，如何应对机上突发事件的指南——比如有临产的乘客，等等。

展开说说

2010年左右，随着平板电脑的发明，纸质文件数字化，飞行员再也不用带着一大摞手册上飞机，而只需一个平板电脑就够了。飞机上哪怕增加很小的重量，都会加大燃油成本，所以没有厚厚的纸质手册，飞机的燃油成本也被大大减少了。

结论

真

早期的相机能拍到鬼

我来拍一张自拍照。

是真是假？

自从19世纪20年代至30年代照相技术被发明出来，人们拍到许多非常诡异的画面。有一些是事出偶然，有一些则是摄影师故意为之，他们特意用一些拍摄或冲洗照片的技术手段来捉弄人！

展开说说

早期的相机是用玻璃板成像的。如果玻璃板损坏或重复使用，拍出来的照片上就会出现本不应该出现的人或事物的"鬼影"。还有一些相机有延时曝光功能，其曝光时间长达一小时——这样就有足够长的时间让人能出入镜头，但只被捕捉到部分影像。

灵魂摄影师！

美国摄影师威廉·孟勒（1832~1884年）以极高的价格帮人拍通灵照片：让人们与其爱人的"鬼魂"团聚并合影。最终，他的诈骗行径被公之于众！

结论
假

"大富翁"游戏的发明是为了教会人们经济平等

我有钱了!

1901年,利兹·玛吉为她发明的一款叫"地主游戏"的桌游申请了专利——她发明这款桌游的目的是告诉人们,大多数财富掌握在少数富人手中时会引发哪些问题。

填字游戏时代

另一个火爆异常的桌游是填字游戏,它是由美国建筑师阿尔弗雷德·莫舍·巴茨发明的。填字游戏在塞内加尔极其受欢迎,以至于它已经成为该国的一项官方体育运动!

展开说说

利兹的游戏获得了小小的轰动。一个叫查尔斯·达洛的人看到人们玩这个游戏,他对这个游戏做略微调整后,重新将其命名为"大富翁"。达洛这款新游戏和利兹的不尽相同,于是他也为自己这款改造后的游戏申请了专利。达洛因为对游戏的改进取得了一定的成功,后于1935年将其卖给了游戏制作商帕克兄弟。

结论

真

无线网络（WI-FI）最早由一位好莱坞女星发明

是真是假？

海蒂·拉玛是一位奥地利女影星。1932年，她和美国电影公司米高梅签约并来到好莱坞发展。拉玛塑造了许多银幕形象，演艺生涯取得了极大的成功，也被称为"世界上最美丽的女人"。

展开说说

第二次世界大战开始后，拉玛希望能为美国军队出一份力。她和作曲家乔治·安太尔一起，研究出一个可以秘密发送消息而不被敌方截获的系统。正是这个系统，后来经研发改进，成为我们今天的无线网络技术。

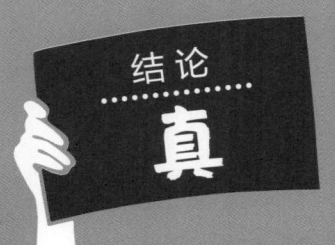

结论

真

57

诗人拜伦的女儿是最早的计算机程序员

英国19世纪浪漫主义诗人拜伦有个女儿叫艾达。艾达小的时候，她的母亲安娜贝拉·米尔班克坚持让她学习科学和数学，因此她从小便接受了良好的教育。这在当时是一件不同寻常的事，因为在那个年代，女性受教育的机会并不多，尤其是科学学科的教育。

结论 真

展开说说

1835年，艾达在婚后改名为艾达·金，又被称为洛夫莱斯伯爵夫人。她和查尔斯·巴贝奇成了朋友（参见第51页），巴贝奇当时正在设计一款全新的机器，叫作"差分机"——早期的一种计算机。尽管这个机器一直没做出来，但艾达了解他的方案，她写下许多笔记，记录了这台机器的工作原理——在今天看来，这些笔记可以算作最早的计算机程序。

58

潜水服是为了让潜水员身上保持干爽

展开说说

虽然会有少量的水渗入制成潜水服的氯丁橡胶纤维中，但人的体温会给这些水"加温"。然后湿水的纤维就不会再渗进更多的水，因为它已经"满"了。潜水服紧贴身体是最佳使用状态。如果潜水服太大，更多的水进来，身体需要不断给这些水加温，最终会导致身体失温。

是真是假？

如果你穿过潜水服，就会知道它在身上裹得有多紧。这一定是为了不让冷水进来，对吗？其实，潜水服的设计反而是为了让衣服里进水！

保持干爽

在非常冷的水里，潜水员会用干式潜水服。这种潜水服会让人完全保持干爽，甚至还有一个阀门，可以让空气进来，把水排出去。

结论

假

59

发明摩尔斯电码的人同时还是一位艺术家

我画的是"滴——答、滴——答"。

塞缪尔·摩尔斯（1791~1872年）是一位颇有天分的美国艺术家，以画肖像为生。不过，一个偶然的机会，他开始关注电报，并走上了发明之路。

画家加油!

摩尔斯还创办了国家设计学院，目的是提高画家在美国的社会地位。

展开说说

摩尔斯四处旅行，寻找临摹对象。1825年，摩尔斯的妻子去世后，他去往欧洲。回到美国后，他听说了一项令人振奋的新技术。摩尔斯开始对电报这项新技术产生兴趣，甚至自己动手制造了发报机。1838年，在发明家艾尔菲德·韦尔的帮助下，摩尔斯发明了由点和横线组成的密码系统，这便是我们后来所知道的摩尔斯电码。

结论

真

凡士林是从原油中提取出来的

1859年,罗伯特·切森堡到宾夕法尼亚州的油田考察,他发现那里的工人需要定期清理设备上原油结成的蜡。这是在提取原油的过程中日积月累自然而然形成的产物。切森堡看到工人们将这种蜡涂抹在被割伤和烫伤的皮肤上,他脑子里出现一个想法。

展开说说

切森堡带走一些蜡,并对其进行了提纯。他开始售卖这种产品,还给它起了个名字,叫作"奇迹软膏"!他会当众先把自己烫伤,然后向大家展示如何涂抹这种药膏,还给他们看他涂药膏后新近长好的皮肤。这种药膏迅速火遍大街小巷,并于1870年被改名为"凡士林"。

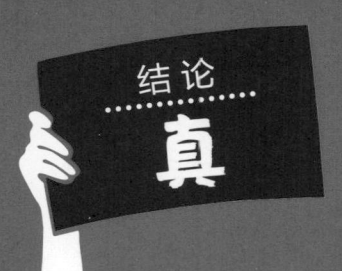

结论
真

61

喝了这个，我感觉好多了！

碳酸饮料最初是一种药水

是真是假？

从古代起，人们就相信天然矿泉水有益身体健康。于是，当有人研究出如何制作含气泡的碳酸饮料后，药剂师设置了专门的气泡水柜台，用于售卖碳酸饮料。

气泡水

普里斯特利最初制作气泡水的过程是将一盘水挂在一桶发酵啤酒上方。啤酒产生的气体进入水里，这样就得到了气泡水！

展开说说

1767年，英国化学家约瑟夫·普里斯特利研究出制作碳酸饮料的方法，后来，有人发明出可以量产碳酸饮料的机器。药剂师开辟了碳酸饮料专柜，并在碳酸饮料里添加了蒲公英等药草和水果提取物。随着添加了不同风味的碳酸饮料日益火爆，人们开始想要打包一些带回家喝，于是出现了瓶装饮料产业。

结论

真

沃尔沃汽车公司
用其发明的安全带
赚了几百万

是真是假？

几乎每一辆汽车里都能看到沃尔沃汽车公司的一项发明。1959年，沃尔沃的工程师尼尔斯·博林发明了这个今天几乎在每一辆车里都能见到的东西：三点式安全带。

结论
假

展开说说

在三点式安全带发明以前，只有两点式腰带安全带。虽然发生碰撞时，两点式安全带也能把人固定在座位上，但人依然伤得很重。而三点式安全带还能将人的上半身固定住，从而使行车更加安全。沃尔沃为这项技术申请了开放专利，也就是每个人都可以免费使用。

吸尘器刚发明出来时其实是"吹"尘器

休伯特·塞西尔·布思是一名英国工程师。他建造了吊桥、摩天轮，还有……真空吸尘器。1901年，他看到有人展示一台地毯清洁机的使用，这台机器将地毯上的灰尘等脏东西吹起来，吹进一个袋子里。看了这台机器，布思觉得自己能通过把吹改成吸来改进这个设计。

展开说说

虽然发明这台"吹"尘器的人坚称这是不可能的，但布思仍然下定决心要做出一台更好用的机器。他做出的第一台机器是靠马拉并且烧汽油的。这台吸尘器工作时，被连着机器的管子通过窗户拉进屋里，而机身则留在室外。

令人叹为观止的灰尘

布思的真空吸尘器上有一个玻璃窗，因此从它旁边路过的人能看到屋子里的灰被吸出来的过程，这幅胜景真是令人叹为观止！

结论

真

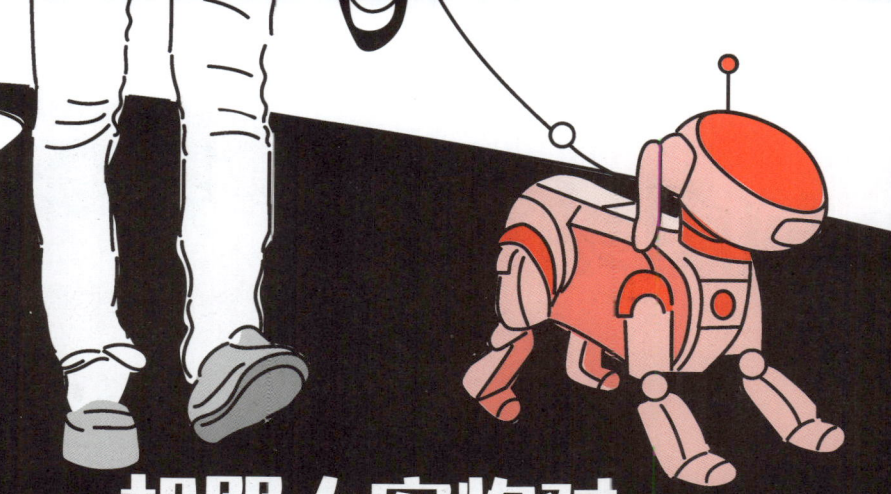

机器人宠物对
我们的健康有益

是真是假？

一只可爱的小狗向你飞奔而来，欢快地叫着，热情地摇着尾巴。你拍拍它，说："坐下！"这只小狗和普通小狗唯一的区别是什么呢？那就是这是一只机器狗。日本研发出的"AIBO"机器狗、海豹形机器宠物"Paro"，以及形似婴儿的陪伴型机器人"LOVOT"，都已经被广泛应用于家庭和医疗服务机构，用来帮助人们减轻压力，给人们带来精神慰藉。

展开说说

机器人宠物越来越先进，也越来越受到人们的欢迎，特别是在一些养一只"真正的"宠物不那么容易实现的城市里。许多机器人宠物体内装有传感器，你拍它，它就能感受到；它们的眼睛还能识别人脸。它们还能理解人的指令和感情，能学习新的行为。

结论
真

65

列奥纳多·达·芬奇发明了直升机

你一定听说过《蒙娜丽莎》，这是一幅由达·芬奇创作的名画。达·芬奇不仅是一位艺术家，还是一位科学家、工程师和发明家。他是被全世界所公认的天才！

没错，我是做了几样东西。

结论

真

66

和 降落伞

　　列奥纳多·达·芬奇于1452年出生在意大利。他长大后成了一名伟大的艺术家，同时还是一名军事建筑师和工程师。我们今天不仅能看到他的画作，还能看到他的手稿。其中有一台直升机和一个降落伞的设计手稿。达·芬奇在世时，这两样东西并没有被制造出来，不过他的直升机设计元素被运用到现代直升机的设计中，并且有人照着他的手稿做出了降落伞，还真的能完美运行！

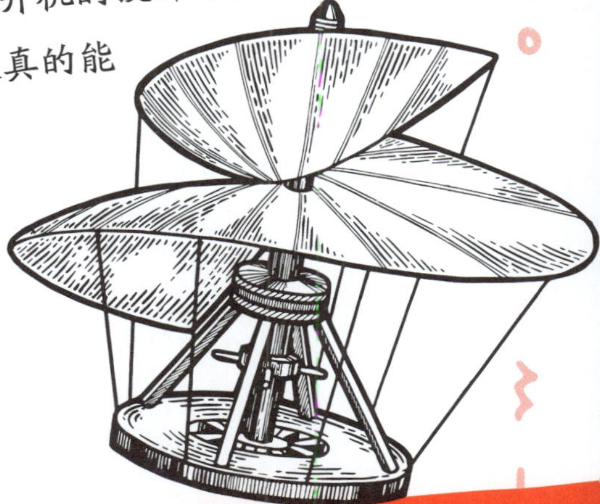

达·芬奇的发明

★ 飞行器　　　★ 装甲车
★ 巨型十字弩　★ 攻城塔
★ 水下呼吸设备　★ 自动车

微芯片可以用木头制成

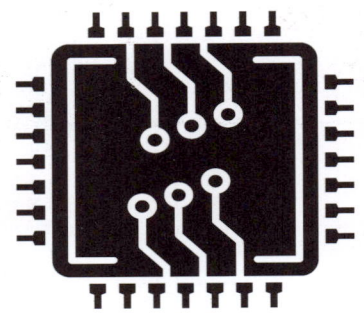

我们今天面临的一大问题就是污染，其中很大一部分污染来源于废弃物。而电子废弃物造成的影响日益严重，是因为电子产品不断更新换代，我们总是买了新产品，丢掉旧产品。

亨利·福特

这位发明了汽车生产流水线的汽车大亨还是率先尝试使用生物塑料的先驱。1941年，他发布了一台生物塑料汽车，车身的一部分是用大豆做成的！

展开说说

为了应对电子废弃物引发的问题，电子产品工业正在用更多可回收和可修复的零部件来制造电子产品。一些研发者已经做出了一种新的微芯片。这种芯片的基底用纳米纤维素制成——这是一种干净的材质，原材料为木浆。外面再包裹一层可生物降解的树脂，以使芯片防水且表面光滑。

结论

真

汽车烧甘蔗也能跑起来

是真是假？

甘蔗主要生长在热带地区。用甘蔗榨出甘甜的甘蔗汁，可以制成蔗糖，用于蛋糕和其他甜品的制作。不过，甘蔗还能用于加工乙醇，当汽车燃料用。

结论

真

展开说说

巴西是世界上最大的甘蔗乙醇产区之一，在巴西，许多汽车都用乙醇和汽油作为燃料。汽车烧乙醇有个好处，那就是比烧汽油产生的有害气体少，而且不会耗掉石油，因为石油是不可再生资源，总有一天会枯竭。

要清理干净太平洋里的垃圾是不可能的

是真是假？

在太平洋的中心，大片大片的区域都漂浮着垃圾。垃圾被倾倒在海里，又被洋流冲到一起，积少成多，慢慢在海里形成了一座座"垃圾岛"。

回收利用！

如今许多东西都是用海里回收的塑料垃圾制成的，包括太阳镜。

展开说说

研究人员和发明家都在探索如何清理这些可怕的垃圾。以下是两个绝妙的解决办法：

★ 像过滤器一样的"海上垃圾桶"：它漂浮在港口，把水连同垃圾吸进"肚子"里，再把水吐出来，把垃圾留在垃圾桶里。

★ "海洋净化"工程：利用漂浮在水面上的拦截设备将塑料垃圾拦在一个固定的收集点。还有一种拦截设备可以装在河口，阻止塑料垃圾随水流入海洋。

结论
假

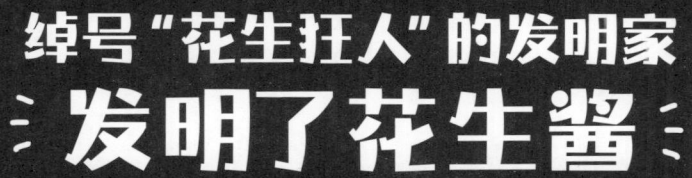

绰号"花生狂人"的发明家
发明了花生酱

是真是假？

虽然有着极其艰辛的童年，乔治·华盛顿·卡佛长大后仍然成了农业科学史上最受人尊敬的人物之一。他是美国爱荷华学院（即今天的爱荷华大学）首位黑人毕业生，并成为塔斯基吉大学农业学专业的学科带头人。

展开说说

卡佛在19世纪末美国密苏里州的一家农场长大。当时该区域经济凋敝，他决心要使经济复苏。他研究了包括花生在内的数百种植物，并帮助该区域的农民种植花生。卡佛发明了花生的300余种食用和使用方法，包括花生香肠、花生蛋黄酱、花生奶昔、花生橡胶、花生轴承润滑油等——可唯独没有花生酱！

结论

假

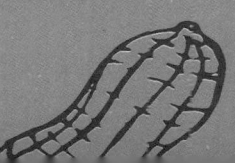

世界上最安全的自行车头盔有一款是隐形的

虽然你看不到，可我的确戴了头盔！

是真是假？

瑞典2005年颁布法律，规定15岁以下人群骑车必须戴头盔。这让安娜·霍普特和泰雷斯·阿尔斯汀两位发明家萌生了一个想法：做出一款人人争相佩戴的自行车头盔。要不做一个隐形头盔？

通知亲属！

这款隐形头盔通过一定的设置，还可以在防撞保护罩弹出后自动联系骑车人的亲属。

展开说说

发布于2011年的这款"隐形头盔"，其实是一个气囊领。骑自行车时，人们只需将这个领子套在脖子上即可，这里面安装着气囊。领子里的传感器可以对骑车人的动作做出反应。当人的动作突然发生变化时，气囊就会弹出，在人的头部形成一个防护罩，防止头部被撞。

结论
真

纽扣诞生于工业革命时期

是真是假？

19世纪工业革命以前还没有纽扣，后来越来越多的人进入工厂，必须穿工装，于是纽扣应运而生……其实，事情并不是这样的……

结论
假

展开说说

纽扣已经发明出来几千年了，只不过一开始是一种装饰物。早期的一些纽扣是用贝壳做的。13世纪，有人发明了扣眼，纽扣这才有了将衣服系牢的用处，不过这时的纽扣是手工制作，而且造价很高。后来，工业革命时期，机械的使用兴起，可以同时批量生产出数千枚相同的纽扣，纽扣因此成为人人用得起的日用品。

美国国家航空航天局

是真是假?

太空中没有重量,所以一切都飘浮着。美国国家航空航天局的阿波罗号在执行太空任务时,宇航员用魔术贴将物体固定在原位。这种魔术贴由两部分构成:一边是较软的纤维组成的毛面,一边是比较粗硬的刺一样的钩面。两边可以轻松粘牢,也可以再次撕开。

展开说说

虽然阿波罗号极大提高了魔术贴的知名度,展示了它的强大功能,但其实这并不是美国国家航空航天局的发明。1948年,瑞士工程师乔治·德·梅斯特拉尔发现他的衣服上粘了一些草籽。仔细观察这些草籽,他发现它们的表面有许多细小的毛刺。受此启发,他发明了魔术贴,并给它注册了商标,叫"维可牢"。

发明了魔术贴

谁能帮我系一下靴子吗?

张冠李戴

人们常常认为一款叫"果珍"的饮料是美国国家航空航天局发明的,但其实并不是,只是因为一位名叫约翰·格莱恩的宇航员在太空中演示吃喝的实验时品尝过这种饮料。这个误会就是这么来的!

结论
....
假

绝妙的主意会在不经意间产生

展开说说

美国发明家费罗·法恩斯沃斯早在少年时代就被无线电和电子的新技术深深吸引了。有一天，他正在田间犁地，地上犁出来的一道道沟让他产生了一个绝妙的主意：把图像一行一行地传送到屏幕上。

1921年，只有15岁的法恩斯沃斯用草图向他的物理老师展示了他的构想。19岁时，他开始着手实现自己的构思，并在20岁时获得了两项重要专利。法恩斯沃斯不是第一个构思出电视的人。他钻研当时的科学技术，并最终在这些成果的基础上为电视科学的发展做出了重要贡献。

结论

真

我可是个讲究人!

牙刷是在监狱里

—— 被人发明出来的 ——

是真是假?

1770年,英国人威廉·艾迪斯由于引发骚乱被投入伦敦一所监狱。服刑期间,他不想像其他犯人那样,用牢里提供的破布条和烟灰来清洁牙齿,他想用点别的东西。于是他找到一小段动物的骨头,在上面钻了一些洞,又在洞里面粘了一些动物的毛。

结论
假

展开说说

艾迪斯的发明简直太好用了,他一出狱就开了一家牙刷生产公司,成了富翁。虽然这是首次实现量产的牙刷,可是早在公元700年左右,中国人就已经在使用一种带有硬毛的刷子刷牙了,而"牙刷"这个词也在1690年就有记载。

长盛不衰

艾迪斯公司的智慧牙刷品牌直到今天仍在经营!

太空里有卫星在给地球测"体温"测了20多年

分别于1991年和1995年发射的欧洲遥感卫星以及2002年发射的环境卫星都肩负着为地球测温的重任。在长达21年的时间里，这3个卫星上搭载的测温设备为我们提供海洋温度监测数据，一共给地球测温21亿次，从未出过故障！

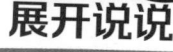

我烧得挺厉害的。

展开说说

这些卫星上搭载的设备经过更新和改进，记录下地表和海洋的温度。利用这些数据，科学家可以针对全球变暖和气候变化对海洋和地球其他方面的影响展开研究。

结论
真

动物的角、龟壳、琥珀和橡胶都是不同种类的

塑料

什么？你竟然说我的壳是塑料？

是真是假？

塑料由聚合物构成——聚合物就是长长的化学单链集合而成的物质。塑料大多有着共同的特点：加热时可以铸造成不同形状，冷却后会变硬并保持这个形状。

展开说说

说到塑料，我们可能首先想到的就是装番茄酱的塑料瓶子或者文具盒之类的，不过这些都是新型合成（即人造的）塑料了。还有天然的塑料，动物的角、龟壳、琥珀、橡胶等都是天然存在的塑料，其性能和人造塑料相同。

结论

真

禁止使用

过去有十分庞大的天然塑料制品产业，因为它们可以制成各种诱人的珠宝、餐具、梳子等。如今，随着动物保护理念日益加深，人们对动物权益有了更深入的理解，天然塑料制品，尤其是原材料来自动物的制品，才得以大面积禁止。

超市购物车 一经发明便立刻 —爆火—

呜呼!

是真是假?

1937年,美国一名超市老板西尔万·古德曼发现,来购物的顾客因为带的篮子装不下而被限制了购买力。古德曼于是发明了一种装着轮子的大筐,可以推着走,但是唯一的问题是,没人愿意用它!

结论
假

展开说说

古德曼为他的发明登报打广告,可依然不奏效。最后,他雇佣了男男女女推着这些小车在超市里走来走去,这才终于带火了它!这种购物车不仅在他的店里大获成功,其他商店也纷纷前来要求供应这款手推车。到1940年,他的订单已经排起了长队。

做塑料袋和做膝关节用的是同一种塑料！

是真是假?

当人们认识到塑料的广泛用途时，寻找新的塑料材料的竞赛就拉开了帷幕。1933年，英国的帝国化学工业公司做了一个实验，试图将两种化学物质结合起来。虽然实验出了点问题，但最终却取得了极大的成功。

展开说说

研究人员发现设备里进了氧气，并和两种化学物质发生了反应，产生了一种光滑的白色物质。这种物质不仅非常坚固，还隔热，有极大的用处。经过对这种物质提纯后，人们得到了聚乙烯。一时间，它被用来制作一切物品，从塑料袋到食品容器，再到人工膝关节和髋关节！

请这边走

这种新型塑料诞生后做成的第一件物品是一根塑料拐杖！

结论

真

协和式飞机的机头可以灵活摆动

协和式飞机由英国和法国联合研制，飞行速度极快。1976~2003年之间，共有约20架协和式飞机投入飞行。协和式飞机可以以超声速飞行，也就是说飞行速度比声音的速度还要快！

耐热物质

协和式飞机在超过18 200米的高空飞行，乘客甚至能看到地球的弧形表面。极高的温度意味着飞机在飞行时会膨胀25厘米，落地后它摸上去还是热乎乎的！

展开说说

为了便于起飞和降落，协和式飞机的飞行员会抬升或降低飞机的机头，以获得更清晰的视野。协和式飞机只有在大洋或开阔地的上空飞行时才会使用超声速，因为提速至超声速时会发出巨大的轰鸣声，给人口密集的地区造成极大的噪声污染！由于它只能搭载130名乘客，且造价极高，因此在2003年已经停飞。

结论
真

乘坐电梯是一件危险的事情

是真是假？

19世纪40年代，乘坐电梯还是一件危险的事情。那时候的楼也不会建得太高，因为人们都不愿意爬那么多楼层。后来，大约1853年时，美国人爱立沙·奥的斯展示了一项将改变这一切的新发明。

结论
假

展开说说

1853年，在美国纽约举办的首届世界博览会上，奥的斯向人们展示了他发明的电梯，那是一个戏剧性的场面。电梯上装有一个自动制动器，如果电梯的链子或绳子断裂，制动器会阻止电梯坠落。奥的斯站在一个平台上，把平台高高地升到半空中，然后叫下面的人剪断绳子。制动器起作用了！他的发明令电梯的使用变得非常安全，也让人们朝着建造高楼大厦的目标迈出了重要一步。

珍道具是关于无用发明的艺术

是真是假？

你想过给鞋子撑两把小伞吗？或者用一个擦丝器来擦黄油？又或者做一套可以当拖把用的宝宝服？或许你从没想过这些。而这就是珍道具，一门致力于用几乎无用的发明来解决问题的艺术。

奇奇怪怪的工具

"珍道具"一词在日语里是由两个词组合而成的："珍"是"奇怪"的意思，"道具"是"工具"的意思。

展开说说

珍道具是日本人发明的。一般情况下，珍道具会首先提出一个微不足道的问题，比如面太烫，然后再用一个发明去解决这个问题——发明一款筷子风扇，在你吃面时为你吹凉。不过也有一些有趣又有用的珍道具发明：保护香蕉免受磕碰的香蕉盒，还有便于包装、运输和储存的方形西瓜。

结论

真

放屁坐垫是古罗马一个皇帝发明的

是真是假？

古罗马皇帝埃拉伽巴路斯绝对是个不折不扣的烦人精，他的行为非常怪异。据传记作家埃利乌斯·斯巴提亚努斯的记载，这位皇帝的一个恶作剧就是让他的客人坐在一个充气的垫子上，然后给垫子放气，于是，一顿饭还没吃完呢，客人们就滑到桌子底下去了。

结论
......
假

展开说说

虽然这个恶作剧和放屁坐垫的恶作剧有点像，不过放屁坐垫的精髓在于它会发出像放屁一样的声音，而对古罗马皇帝的描述里则没提到声音。现代的恶搞玩具放屁坐垫是1930年加拿大一家橡胶公司的员工用废弃橡胶发明的。

美国曾尝试自己造飞碟

是真是假？

20世纪50年代，1794项目启动。2012年公布的项目计划显示，美国军方曾经设计并计划自己建造超声速飞碟！该项目于2001年被解密，文件后来才进入公众的视野。

展开说说

这个飞碟的设计是和直升机一样的垂直起降模式，行驶速度是声速的4倍，飞行高度超过3万米，造价超过300万美元！可惜这样的雄心壮志只停留在纸面上，从来没有真正实施过。

特斯拉传奇

科学家尼古拉·特斯拉在1928年申请了一项飞碟飞行器的专利。他自称收到了来自火星人的消息，在他去世后，美国政府截获了他的所有手稿！

结论

真

科学家正在研发一款可以应对时差的软件

现在是几点？

是真是假？

当我们刚结束一场跨时区的旅途时，昼夜的时间变了，可我们的生物钟无法跟上变化的速度。科学家正在研发一款植入软件——这是一个很小的设备，可以释放化学物质，告诉你的身体现在是什么时间。

展开说说

这个植入设备要和一个臂环配合使用，两个设备和装在智能手机里的软件相连。用户只要输入目的地的到达时间，一落地便会感觉神清气爽！这项技术的发明，旨在帮助需要进行远途作战的士兵，确保他们一到达战场就能立刻精神抖擞地投入战斗。

结论

真

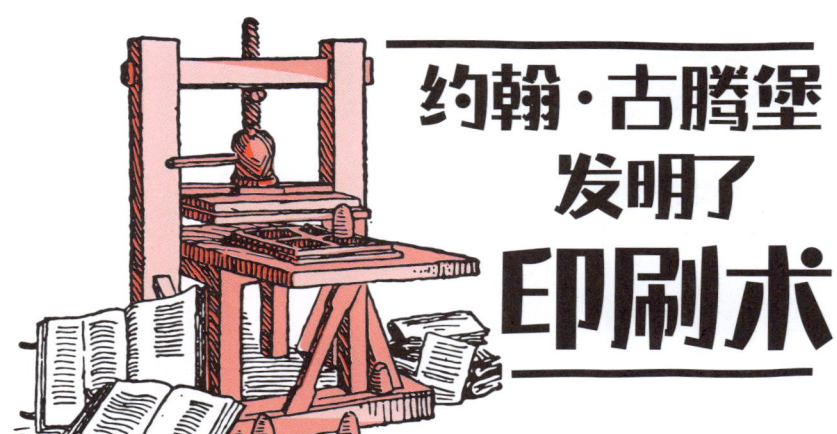

约翰·古腾堡发明了印刷术

是真是假？

毫无疑问，欧洲15世纪以来的文字传播确实要归功于约翰·古腾堡的发明。不过，在中国，早在公元600年的隋朝时期就已经开始出现印刷技术了！

一起来读书吧！

古腾堡的印刷术让书籍大量印刷、传播成为可能，人们将由此开启的出版盛况称为"信息革命"。

展开说说

早期的中国印刷技术是刻印，是在木头或金属上刻字，然后印在纸上。朝鲜15世纪初开始制作铜活字。大约这个时候，欧洲才开始造纸。1452年，约翰·古腾堡受到榨油机的启发，制作出金属的字块和新的油墨，改进了印刷技术。

结论

假

第一台移动电话有一块砖那么大，成本要 **1万美元！**

1984年，美国电信公司摩托罗拉发布了一款移动电话——DynaTAC。发布前测试时，这台电话的发明者用它给竞争对手公司打电话，让对方知道他们的电话研发成功了！

展开说说

DynaTAC的主要发明者是马丁·库珀。他发现人们的需求不是用装在办公室、电话亭等固定地点的座机打电话——而是想走来走去地说话，于是发明了这一款覆盖全区域的移动电话。它的电池可以通话35分钟。当时这台电话的成本是3 000美元，放在今天，相当于1万美元！

结论
真

89

词汇表

不锈钢: 加了铬的钢铁, 可以防止生锈, 也可以避免其他形式的损坏。

充气: 用气填充某物, 使其膨胀和伸展。

瓷: 一种陶土, 煅烧变硬后可用于加工制作成花瓶或其他器皿。

导航: 定位并规划行进路线的过程。

电报: 一种通过电线传输信号的手段, 通常通过破坏经过电线的电子之间的关联来实现。

电子学: 科学技术的一个分支, 研究电及电子在电路中的运动方式。

纺织品: 布料或其他织物。

飞行员: 驾驶飞机的人。

分解: 指腐烂或降解成更小的成分的过程。

分配: 事物在人与人之间或某个地区内的持有或流通。

感情: 人在某种境况、情绪或经历下所产生的一种强烈感受。

会计: 负责记录公司支出、收入和负债等金额的人。

火药: 一种具有高度爆炸性的粉末状混合物, 用于制作爆破设备或烟花爆竹。

假肢: 人造的肢体。

进出口商: 负责进出口商品贸易的人。

经济学的: 与金融、商品交易或货币服务相关的领域。

可回收的: 用来形容分解后可制成循环利用材料的物质。

可生物降解: 用来形容可通过有机方式使其腐烂的物质。

刻写: 将文字或其他符号写在或刻在某物上。

粒子: 最小物质构成单位。

流水线: 工厂车间的一种配置,工人和机器以接力传递的方式分别负责产品不同阶段生产的形式。

氯丁橡胶: 一种具有橡胶特征的合成材料。

美国国家航空航天局: 美国政府机构,负责其国家的航空科技事业。

美索不达米亚: 亚洲西南部的一片区域,约公元前3 000年至公元前500年期间孕育了伟大的文明。

农业: 农民从事的粮食种植和农畜养殖活动及在此过程中运用的科学技术。

配方奶粉: 一种用来代替母乳的给婴儿食用的液体食品。

碰撞: 两个或两个以上的物体或人撞到一起。

囚犯: 被关在监狱或其他囚禁场所的人。

人造卫星: 一种科技设备,可以被投入太空,绕行星或天然卫星轨道运行,用于收集信息或通信。

赛璐珞: 一种用天然材料制成的人造塑料。

失重: 指没有重力作用于物体的状态。

食品添加剂: 添加到食品里用于延长食品保质期或增加食品营养的物质。

手册: 一个包含各种操作指南或信息的小册子,内容通常是关于某个设备或器具的说明。

提取: 去除某物或将其从另一个物质中分离出来。

天才: 在智力或创造力方面具有与生俱来的极大天赋。

天文学: 研究太空及太空中的卫星、行星、恒星等天体的科学。

网纱: 一种极薄的透光材质，通常用棉、丝或亚麻布制成。

微芯片: 装有微电子元件的细小物质，可以运用于计算机和其他设备。

无线网（Wi-Fi）: 一种无须用数据线就能将手机或电脑等设备接入互联网的网络技术。

锡铁: 由铜和其他金属混合制成的灰色合金。

细菌: 一种微生物，尤指能引起疾病的微生物。

纤维素: 植物中包含的一种有机物质。

扬声器: 让电子信号更强的设备，通常用于将音量放大。

乙醇: 糖类发酵或分解后产生的一种易燃液体。

有轨电车: 一种采用电力驱动并在轨道上行驶的轻型城市轨道交通。

原油: 地壳下开采出来的一种液体，经过提炼可以制成汽油、煤油及许多其他产品。

诈骗: 通过蒙蔽或欺诈获取金钱的一种犯罪行为。

轴: 一个可以让物品围绕其旋转的杆状物。

专利: 由政府颁发的一项许可，用于保护发明人的创想或发明，以防他人抄袭或剽窃。

资助: 拨给某人的一笔款项，用于某个特定的项目或任务。